동주, 영어로 만나다

윤동주 지음 | Jordan 옮김
해사한 서가 엮음

듣기, 읽기, 쓰기, 말하기 모두를 연습할 수 있는 활용 방법

〈1〉 우선 편하게 들으며 읽어볼까요?

QR 코드를 찍으면 오디오 영상과 연결됩니다. 우선은 들으며 윤동주 시 원문과 영어 번역문을 만나봅니다. 이후 영어로 옮긴 시를 이해할 수 있도록 기본 단어를 정리한 목록이 이어집니다.

영어 읽기가 부담스럽다는 마음 장벽이 한편에 있으신가요? 그 높이가 조금은 낮아질 수 있게 준비했습니다.

〈2〉 단어와 문장을 쓰며 연습해 볼까요?

영어가 낯선 분도 영어로 옮긴 문장을 파악할 수 있는 핵심 단어를 선정하였습니다. 그 단어를 포함한 문장도 한두 개 연습해 볼 수 있답니다.

참! 알파벳 쓰기 순서가 헷갈리시는 분은 뒷장 부록에서 알파벳 쓰기 순서를 참고해 주세요.

<3> 다시 한번 듣고 따라 말하며 읽어 볼까요?

연습한 단어가 문장에서 어떻게 쓰이고 있는지 확인하며 반복해서 들어 봅니다.

한 단어라도 괜찮습니다. 들리는 단어를 따라 읽어보세요. 차근차근 알아가는 재미를 느끼실 수 있을 거예요.

<4> 시상을 채색해 볼까요?

시상을 표현한 라인 드로잉 삽화를 살포시 넣어 보았습니다. 시를 감상하며 느낀 정서를 색으로 채우는 장입니다. 나만의 책을 가꾸는 첫 번째 코너이기도 하죠. 더불어서 그림 속 알파벳을 찾고 그 문자를 포함하는 단어를 연상해 보시길 제안해

드립니다. 새로운 자극으로 뇌 신경세포 가지가 쭉쭉 뻗어 나갈 거예요.

〈5〉 생각 공간에서 자유롭게!

이문재 시인은 독자에게 시를 읽고 한 단어라도 좋으니 이어 써보라고 권합니다. 언어가 가진 한계를 초월하려는 장르가 바로 시이므로 다양하게 해석될 수 있기 때문이겠죠.

이러한 감상법을 빌려와 기억에 남는 단어와 문장을 적어 보아도 좋을 것 같습니다. 여러분의 생각을 자유롭게 펼치며 세상에 하나밖에 없는 책을 만들어보는 건 어떠실까요?

목차

전원에 앉아 느끼는

미풍의

경쾌함을

봄날에 실어 보내며,

01
둘 다
Both Sea and Sky

둘 다

바다도 푸르고
하늘도 푸르고

바다도 끝없고
하늘도 끝없고

바다에 돌던지고
하늘에 침뱉고

바다는 벙글
하늘은 잠잠.

Both Sea and Sky

The sea is blue,
The sky is blue.

The sea is endless,
The sky is endless, too.

I cast a stone into the sea,
I spit into the sky so free.

The sea, it laughs,
The sky stays calm.

푸르다	blue
바다가 푸르다	The sea is blue.
끝없다	endless
하늘이 끝없다	The sky is endless.
던지다	cast
나는 돌을 던진다	I cast a stone.
침을 뱉다	spit
나는 하늘에 침뱉는다	I spit into the sky.
벙글거리다(웃다)	laugh
그것은 웃는다	It laughs.
잠잠한	calm
하늘은 잠잠하다	The sky stays calm.

생각 공간 IDEA PAGE

02
나무
The Tree

나무

나무가 춤을추면
바람이 불고,

나무가 잠잠하면
바람도 자오,

The Tree

When trees in silent waltzes sway,
The winds begin their gentle play.

Yet when the trees in stillness stand,
The breeze doth rest by their command.

나무 tree

나무가 바람에 흔들리다.
Trees sway in the wind.

나무가 잠잠하다.
Trees stand in stillness.

바람 wind

바람이 분다. Winds play.

산들바람 breeze

바람이 쉰다. The breeze rests.

생각 공간 IDEA PAGE

03
반디불
Firefly

반디불

가자 가자 가자
숲으로 가자
달조각을 주으려
숲으로 가자.

---- 그믐밤 반디불은
---- 부서진 달조각,

가자 가자 가자
숲으로 가자
달조각을 주으려
숲으로 가자.

Firefly

Let us go, let us go,
To the heart of the forest deep,
Where silvers of the moonlight lay scattered,
And secrets of the night softly sleep.

--- Beneath the dark of the crescent’s wane,
--- The fireflies dance, moonlight’s refrain.

Let us go, let us go,
To the woodland's quiet embrace,
To gather the moon’s broken fragments,
And find nature’s ethereal grace.

반딧불 firefly

가다 go

숲으로 가자. Let us go to the forest.

그믐밤 crescent night

줍다 gather

달 moon

조각 fragment

우리는 부서진 달 조각을 줍는다.
We gather the moon's broken fragments.

생각 공간 IDEA PAGE

04
무얼 먹고 사나
What Do They Live On?

무얼 먹고 사나

바닷가 사람
물고기 잡아먹고 살고

산골엣 사람
감자 구워 먹고 살고

별나라 사람
무얼 먹고 사나.

What Do They Live On

The fisherfolk down by the sea
Live on the catch they pull in free.

The mountain folk, so I've been told,
Roast their potatoes in the cold.

But those who dwell beyond the sky—
What do they eat, and how, and why?

바닷가 사람	fisherfolk
바다	sea
산골사람	mountain folk
잡다	catch
굽다	roast
감자	potato
먹다	eat
살다	live

무얼 먹고 사나

What do they eat to live on?

생각 공간 IDEA PAGE

05
사과
Apple

사과

붉은사과 한개를 아버지 어머니
누나, 나, 넷이서
껍질채로 송치까지
다 — 논아먹엇소.

Apple

One red apple, ripe and round,
Father, Mother, Sister, and I—
The four of us sat down to share,
Peel to core, we ate it bare.

사과	apple
붉은 사과	red apple
아버지	father
어머니	mother
누나	older sister
껍질	peel
속	core
나눠 먹다	share and eat

우리는 그것을 다 먹었다.
We ate it bare.

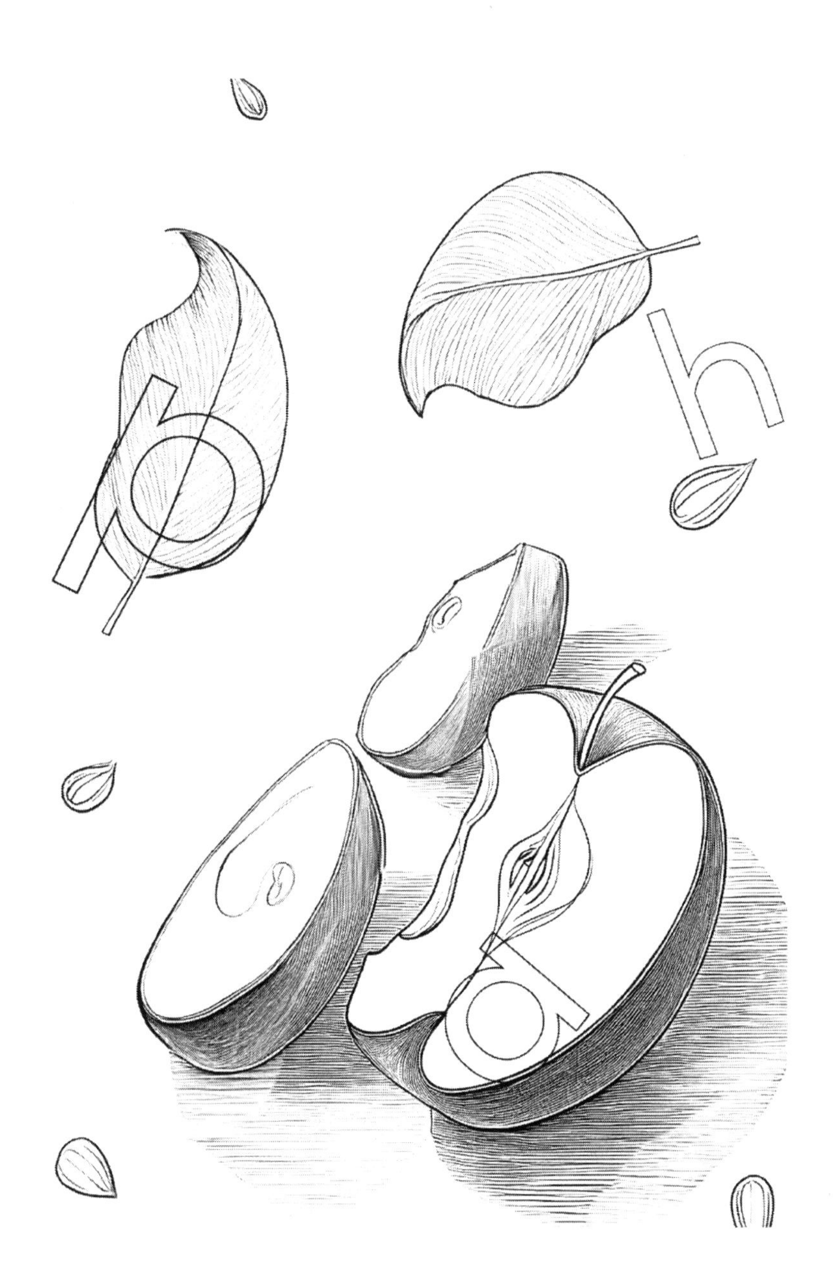

생각 공간 IDEA PAGE

06
빨래
The Laundry

빨래

빨랫줄에 두 다리를 드리우고
흰 빨래들이 귓속 이야기하는 오후,

쨍쨍한 칠월 햇발은 고요히도
아담한 빨래에만 달린다.

The Laundry

Hung out on the line, with legs dangling free,
White laundry whispers secrets
in the afternoon breeze.

Under the July sun, so bright and still,
Its gentle rays touch only the humble laundry
with a tranquil thrill.

빨래 laundry

그가 빨래를 밖에 널었다.
He hung out the laundry.

귓속말하다 whisper

그녀가 귓속 이야기하다.
She whispers secrets.

칠월 July

햇발 sunlight rays

햇발이 빨래에 달린다.
Rays touch the laundry.

생각 공간 IDEA PAGE

07
귀뚜라미와 나와
The cricket and I

귀뚜라미와 나와

귀뚜라미와 나와
잔디밭에서 이야기했다.

귀뚤귀뚤
귀뚤귀뚤

아무에게도 알으켜 주지 말고
우리 둘만 알자고 약속했다.

귀뚤귀뚤
귀뚤귀뚤

귀뚜라미와 나와
달 밝은 밤에 이야기했다.

The cricket and I

The cricket and I, we spoke,
Upon the lawn where silence woke.

Chirp by chirp,
Chirp by chirp.

We made a promise, soft and shy,
A secret shared 'twixt it and I.

Chirp by chirp,
Chirp by chirp.

The cricket and I, beneath the moon,
Talked through the night, a gentle tune.

귀뚜라미	cricket
이야기하다	speak, talk
우리는 이야기했다.	We spoke. We talked.
귀뚤귀뚤	chirp by chirp
약속	promise

나는 비밀을 약속했다.

I made a secret promise.

생각 공간 IDEA PAGE

08
비둘기
The doves

비둘기

안아 보고 싶게 귀여운
산비둘기 일곱마리
하늘끝까지 보일 듯이 맑은 공일날 아침에
벼를 거두어 빤빤한 논에
앞을 다투어 모이를 주으며
어려운 이야기를 주고 받으오

날씬한 두 나래로 조용한 공기를 흔들어
두 마리가 나오
집에 새끼 생각이 나는 모양이오

The doves

Seven doves, so sweet, so fair,
Gentle coos float on the morning air.
On this clear and radiant autumn day,
Where fields are bare, the rice swept away,
They gather close, a bustling throng,
Sharing their thoughts in a murmured song.

With slender wings, they softly glide,
Through the stillness where whispers hide.
Two doves rise and drift away,
To think of their nest where their young ones stay.

비둘기	dove
귀여운	sweet
맑은	clear
맑은 날	clear day
들판	field
들판이 텅 비다.	Fields are bare.
나래(날개)	wing
날씬한 날개	slender wings
날다	glide, drift

비둘기는 날씬한 날개로 난다.

Dove glides with slender wings.

생각하다	think

그것은 둥지를 생각한다.

It thinks of a nest.

생각 공간 IDEA PAGE

09
편지
Letter

편지

누나!
이 겨울에도
눈이 가득히 왔습니다.

흰 봉투에
눈을 한줌 넣고
글씨도 쓰지 말고
우표도 붙이지 말고
말숙하게 그대로
편지를 부칠가요?

누나 가신 나라엔
눈이 아니 온다기에.

Letter

Sister!
This winter too,
The snow has fallen, soft and true.

Should I take a handful bright,
Seal it in an envelope white,
No words to write, no stamp to press,
Just send it off in quietness?

For they say, in the land you've gone,
The snow no longer comes along.

편지 letter

겨울 winter

눈 snow

봉투 envelope

한 줌 a handful

눈 한 줌 a handful of snow

쓰다 write

나는 글씨를 쓴다. I write a letter.

우표 stamp

나는 우표를 붙인다.
I press the stamp.

나는 편지를 부친다.
I send off the letter.

생각 공간 IDEA PAGE

10
조개껍질
Seashell

조개껍질

아롱아롱 조개껍데기
울언니 바닷가에서
주어온 조개껍데기

여긴여긴 북쪽나라요
조개는 귀여운 선물
장난감 조개껍데기

데굴데굴 굴리며 놀다
짝잃은 조개껍데기
한짝을 그리워하네

아롱아롱 조개껍데기
나처럼 그리워하네
물소리 바닷물소리.

Seashell

Glinting, glimmering, pale and bright,
A seashell sister found in the tide,
Left behind where the waters sighed.

Here I live where cold winds blow,
A seashell is a gift, you know,
A tiny toy from depths below.

Rolling, tumbling, smooth and small,
A broken half, once part of all,
A lost half, longing for the one.

Glinting, glimmering, pale and bright,
Like me, you miss the waves' embrace,
The whisper of the sea's old song.

조개껍데기 seashell

찾다 find

언니가 조개껍데기를 찾았다.

Sister found the seashell.

선물 gift

장난감 toy

반쪽 half

간절히 바라다 long for

그것은 잃어버린 반쪽을 간절히 바란다.

It longs for the lost half.

그리워하다 miss

너는 바다의 노래를 그리워한다.

You miss the song of the sea.

S
Y
O

생각 공간 IDEA PAGE

11
오줌싸개지도
The Bed-wetter's Map

오줌싸개 지도

빨래줄에 걸어논
요에다 그린지도
지난밤에 내동생
오줌싸 그린지도

꿈에 가본 엄마계신
별나라 지돈가?
돈벌러간 아빠계신
만주땅 지돈가?

The Bed-wetter's Map

Hung on the clothesline, plain to see,
A map traced in the night, innocently,
By my little sibling's dreaming hand,
A map of dreams and pee across the land.

Does it show the realm of stars so bright,
Where Mom dwells in dreams each night?
Or the distant fields of Manchuria's expanse,
Where Dad works hard, at every chance?

지도 map

오줌싸개 bed-wetter

빨래줄에 걸다
hang on the clothesline

꿈 dream

별나라 realm of stars

나는 꿈에서 별나라에 가본다.
I visit the realm of stars in my dreams.

살다 dwell

엄마가 계신 곳 where mom dwells

열심히 일하다 work hard

아빠는 모든 기회를 틈타 열심히 일한다.
Dad works hard at every chance.

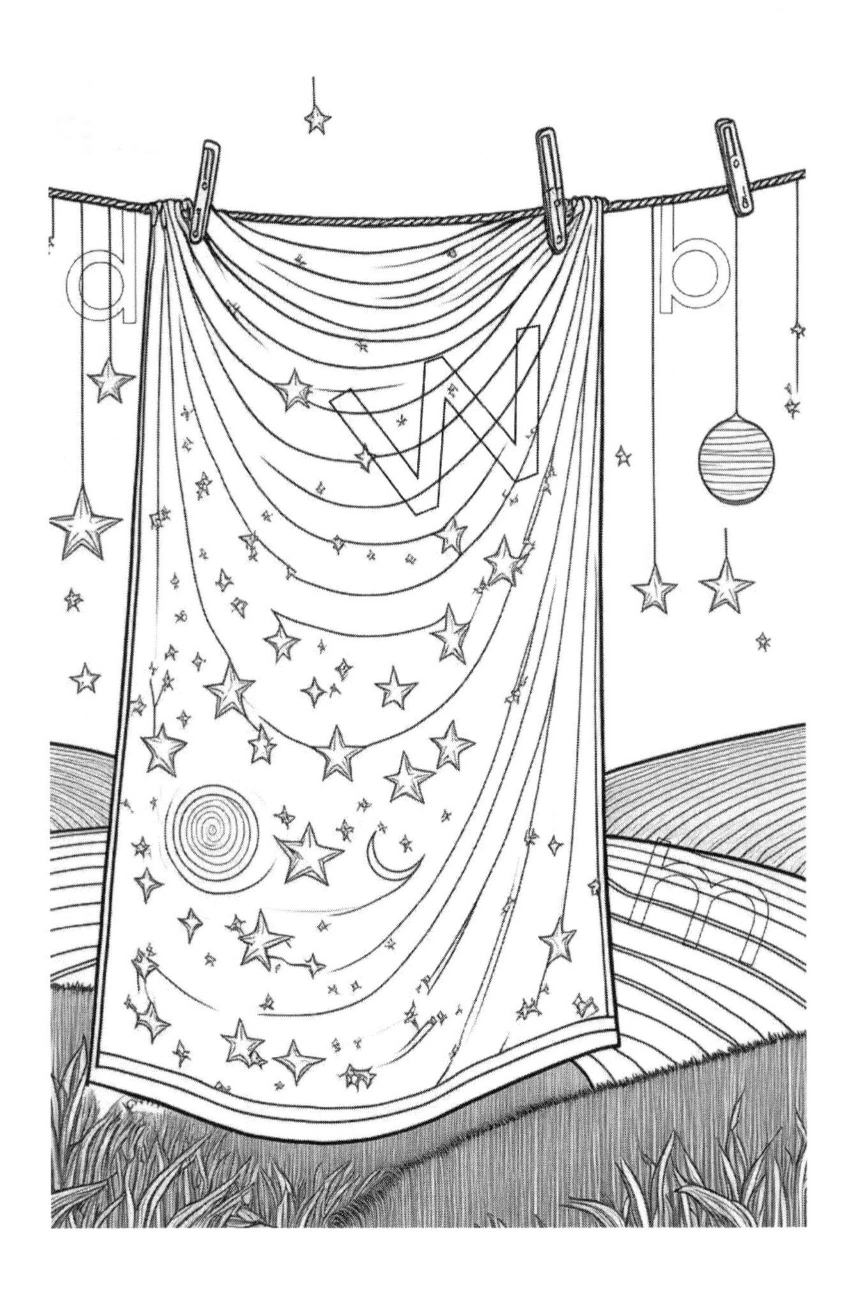
a
b

생각 공간 IDEA PAGE

12
해바라기 얼굴
Sunflower's Face

해바라기 얼굴

누나의 얼굴은
해바라기 얼굴
해가 금방 뜨자
일터에 간다.

해바라기 얼굴은
누나의 얼굴
얼굴이 숙어들어
집으로 온다.

Sunflower’s Face

My sister’s face,
A sunflower's face,
Rises with the sun’s first light,
And sets off to work.

The sunflower’s face,
My sister’s face,
Bows low at twilight,
And returns home.

얼굴 face

누나 얼굴 sister's face

해바라기 얼굴 sunflower's face

뜨다 rise

해가 뜨다. The sun rises.

일하러 가다 set off to work

나는 일하러 간다. I set off to work.

숙어들다 bow low

고개가 숙어지다.

The head bows low.

돌아오다 return

그녀가 집으로 돌아온다.

She returns home.

생각 공간 IDEA PAGE

13
참새
Sparrows

참새

가을지난 마당은 하이얀 종이
참새들이 글씨를 공부하지요

짹액짹액 입으로 받아 읽으며
두 발로는 글씨를 연습하지요.

하로종일 글씨를 공부하여도
짹자 한자 밖에는 더 못쓰는 걸.

Sparrows

The yard, left bare by autumn's flight,
Lies open, blank, and clean as white—
A page where little sparrows meet
To scratch their lessons, beak and feet.

They chirp the words, they hop in line,
They trace their shapes in marks so fine,

Yet all day long, for all their care,
They write but one—no more is there.
A single note, their only part,
A sound that lingers in the heart:
Chirp, chirp.

참새 sparrow

마당 yard

가을 autumn

부리 beak

두 발 feet

짜액 짜액(짹) chirp

단어 word

그들은 짹짹거리며 글씨를 따라 읽는다.

They chirp as they read the words.

하루 종일 all day long

쓰다 write

그들은 오직 하나의 기호만 쓴다.

They can only write one mark.

생각 공간 IDEA PAGE

14
만돌이
Mandol

만돌이

만돌이가 학교에서 돌아오다가
전봇대 있는 데서
돌짜기 다섯 개를 주웠습니다.

전봇대를 겨누고
돌 첫개를 뿌렸습니다.
딱
두개째 뿌렸습니다.
아뿔싸
세개째 뿌렸습니다.
딱
네개째 뿌렸습니다.
아뿔싸
다섯개째 뿌렸습니다.
딱

다섯 개에 세 개.....
그만하면 되었다.

내일 시험,
다섯 문제에 세 문제만 하면

손꼽아 구구를 하여 봐도
허양 육십 점이다.
볼 거 있나 공차러 가자.

이 이튿날 만돌이는
꼼짝 못하고 선생님한테
흰 종이를 바쳤을까요.
그렇잖으면 정말
육십점 을 맞았을까요.

Mandol

Coming home from school one day,
Mandol found five stones, they lay
Beneath the pole that scraped the sky—
He thought, "Why not? I'll give it a try."

The first stone flew, a clean, sharp crack!
The second missed, so he threw it back.
The third hit square, as sharp as song.
The fourth—oh no!—it sailed off wrong.
The fifth and last, another crack!

"Three out of five, not bad at all,"
He thought aloud, both proud and small.

"Tomorrow's test has five big tries,
And if I get just three that fly,

I'll make it through—sixty percent,
No sweat, no stress, it's heaven-sent.
What's there to fear? Let's kick the ball,
The test can wait—let's not despair."

But come the morning, truth rang clear:
Did Mandol hand in a blank sheet?
Or did he aim just well enough
To scrape by with sixty—tough?

학교 school

돌 stone

발견하다 find

그는 돌을 발견했다.
He found the stones.

첫 번째 first

두 번째 second

세 번째 third

네 번째 fourth

다섯 번째 fifth

시험 test

내다 hand in

그는 백지 시험지를 낸다.
He hands in a blank sheet.

e
S

생각 공간 IDEA PAGE

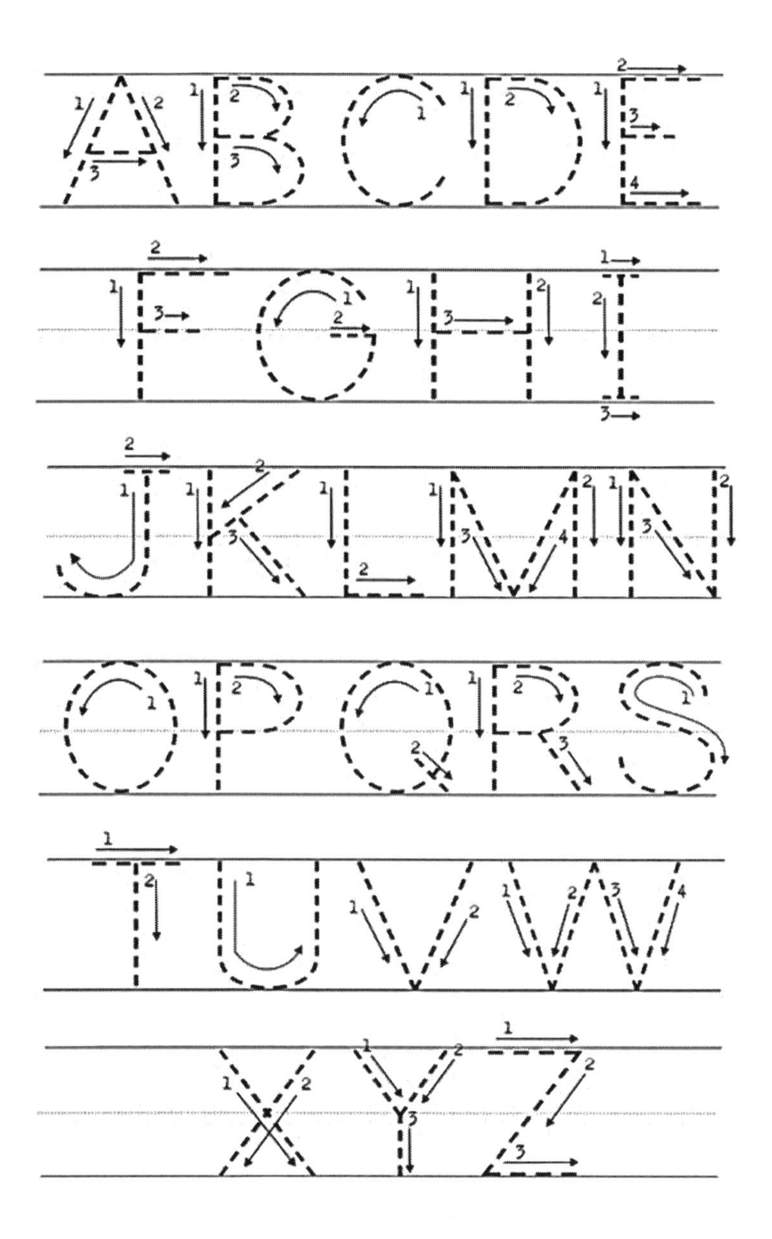

엮은이의 말

어머니께서 즐겁게 배울 수 있는 영어 학습 교재를 찾아 헤맸지만, 마음에 들어오는 것을 발견하지 못하였습니다. 그래서 직접 제작하였습니다. 외국어를 배우면 인지적 자극을 받아 두뇌 활동을 촉진하고 노화를 예방한다고 잘 알려져 있습니다. 그 시기에 늦을 때란 없다는 사실이 입증되기도 하였죠.

온몸으로 시를 짓는다던 윤동주가 남긴 동시를 우연히 만났습니다. 아이부터 노인까지 모든 세대가 공유할 수 있겠더라고요. 할머니, 할아버지가 읽고 손주에게 영어 단어와 문장을 이야기하는 재미를 선사할 수 있는 책을 만들고 싶었습니다. 이 교재를 통해 편안하게 몰입하고 소통할 수 있는 장이 열렸으면 참 좋겠다 기대해 봅니다.

옮긴이의 말

만약 윌리엄 워즈워스(William Wordsworth)와 로버트 프로스트(Robert Frost)가 윤동주의 글을 만난다면 어떻게 묘사했을까요? 이를 상상하며 생성형 인공지능과 함께 번역하였습니다. 자연 속에서 마음의 길을 서성이는 시인의 말에 한국어와 영어로 다정하게 다가가는 시간을 보내시길 바랍니다.

일러두기

- 윤동주 시 원문은 공유마당에서 공개한 자료입니다.

(공유마당: https://gongu.copyright.or.kr/gongu/main/main.do)

- 생성형 인공지능인 ChatGPT, Microsoft Copilot, Gemini, Adobe Firefly를 활용하여 번역하고, 디자인하였습니다.
- KorPedia 유튜브 채널에서 음원을 지원합니다.

(채널 KorPedia: https://www.youtube.com/@Kor_Pedia)

동주, 영어로 만나다

발행일 | 2025년 3월 11일

지은이 | 윤동주
옮긴이 | Jordan
디자인 | Soon
엮은이 | 해사한 서가

펴낸곳 | 해사한 서가
출판등록 | 제2023-000068호
이메일 | consiliencehj@gmail.com

ISBN | 979-11-991490-0-7 (03740)